Disney® Hôtels

Disney® Village

Disneyland® RESORT PARIS

Disneyland® Park

Walt Disney Studios® Park

Le 17 juillet 1955, **Disneyland**® ouvrit ses portes sur le monde avec la dédicace suivante : « À tous ceux qui entrent dans ce lieu de bonheur : Bienvenue. À **Disneyland**®, vous êtes chez vous. Ici, les adultes revivent les doux souvenirs du passé et les plus jeunes goûteront aux défis et aux promesses de l'avenir. **Disneyland**® est dédié à l'idéal, aux rêves et aux réalités qui ont bâti l'Amérique - avec l'espoir que chacun y puisera force, joie et inspiration. »

Walt Disney reçut une inspiration le jour où, assis dans un parc et mâchonnant des cacahuètes, il observait ses deux filles tournant sur un manège. Il songea, assis tout seul à l'écart et presque étranger à la joie de ses fillettes, qu'il « faudrait concevoir quelque chose…, quelque chose comme un parc familial où parents et enfants pourraient s'amuser ensemble ».

Avant de lancer leur nouveau projet, Walt Disney et son équipe avaient observé les parcs d'attraction existants dans le monde pour savoir ce qu'il fallait faire et ce qu'il ne fallait pas faire. Là, ils rencontrèrent des concepts sans intérêt, un accueil calamiteux, et l'équipe décida que **Disneyland**® n'aurait rien à voir avec ça. Le parc n'aurait qu'un seul accès, il serait conçu comme un scénario de bande dessinée ou de film, dynamique, cohérent et ses attractions seraient uniques au monde. Il y aurait de magnifiques paysages, de larges promenades et plein d'endroits pour se reposer. Il y aurait de bonnes choses à manger, des défilés, des orchestres de rue et des personnages Disney à tous les coins de rue.

Une équipe spécialisée se chargea de la conception et l'exécution du premier **Disneyland**® mais également de chacun des Parcs Disney qui suivirent. Ils commencèrent par le château, point central du parc et pivot autour duquel rayonnent tous les autres territoires, **Main Street, U.S.A.**®, représentant une petite ville américaine au tournant du siècle dernier ; **Fantasyland**®, domaine de Blanche Neige, de Peter Pan et de tous les personnages Disney ; **Frontierland**®, illustrant une page de l'épopée de l'Ouest américain ;

Adventureland®, tout d'exotisme et de senteurs tropicales ; et enfin, **Tomorrowland** dans lequel Walt Disney voulait que soient représentées toutes les idées, tous les produits et tous les styles de vie du futur. Le premier parc **Disneyland**® ouvrit ses portes en 1955 à Anaheim, en Californie, et fut un succès immédiat.

Quand Walt Disney mourut le 15 décembre 1966, le Los Angeles Times dédia cet éloge funèbre : « Esope du pinceau, Andersen du dessin animé… Aucun homme de spectacle ne nous a laissé de plus grand héritage. »

Durant les années qui suivirent, les Walt Disney Productions furent dirigées par une équipe triée sur le volet. Ils ouvrirent **Walt Disney World Resort** en 1971 et le 1er octobre 1982, ce fut **EPCOT**® - Experimental Prototype Community of Tomorrow - offrant ainsi une image originale et visionnaire de notre monde. **Tokyo Disneyland Park**, qui ouvrit en 1983, fut le premier Parc à Thèmes Disney hors des États-Unis. Aujourd'hui, le dernier de ces parcs, le **Walt Disney Studios**® vient d'être inauguré, en 2002, à Marne-la-Vallée. En construisant ce parc à cet emplacement, the Walt Disney Company décidait donc de partager son Royaume Magique avec l'Europe, source de tant d'inspirations pour les films et les attractions de Walt Disney. **Disneyland® Resort Paris** offrirait aux familles européennes l'occasion de partager aventures et rêves d'enfance - exactement ce que Walt Disney rêvait lui-même de faire, lorsque l'idée d'un Parc à Thèmes lui vint, un jour, assis sur un banc, mâchonnant des cacahuètes…

On July 17, 1955, **Disneyland®** opened its gates to the world with this dedication : To all who come to this happy place : Welcome **Disneyland®** is your land. Here age relives fond memories of the past, and here youth may savour the challenge and promise of the future. **Disneyland®** is dedicated to the ideals, the dreams and the hard facts that have created America - with the hope that it will be a force of joy and inspiration to all the world.
Walt Disney's vision came to him while sitting in a park one day, eating peanuts and watching his two daughters ride the merry-go-round. He thought, while sitting there alone, feeling somewhat excluded from his children's delight, « there should be something built, some kind of family park where children and parents could have fun together. »
When Disney with his hand-picked team launched the new park project they learned valuable lessons about

what not to do by visiting existing parks around the world. Confronted with casually designed, poorly maintained parks with unpleasant attendants, the staff concluded that **Disneyland®** would be completely different. It had to have a single entrance, it needed to be laid out like a storyboard, or a movie, in a coherent sequence, and attractions had to be unique to Disney. There would be beautiful landscaping, wide pathways and plenty of places to rest comfortably. There needed to be good food, parades, marching bands and appearances by Disney characters. A specialised design and engineering group not only designed **Disneyland®**, but has master planned and designed every Disney Park since. They start with the Castle, the focal point of the whole park ; the hub from which the other lands radiate. **Main Street, U.S.A.®**, a typical turn-of-the-century American town ; **Fantasyland®**, home of Snow White, Peter Pan and all the Disney characters ; **Frontierland®**, a page out of the American Wild West ; **Adventureland®**, picturing the world's exotic and tropical regions ; and finally the futuristic **Tomorrowland** where Disney wanted to showcase the ideas, products and lifestyles of tomorrow. The first **Disneyland®** opened in 1955 in Anaheim, California, and was

an immediate success.
When Walt Disney died on December 15, 1966 a heartfelt obituary in the Los Angeles Times summed him up as « Esop with a Magic brush, Hans Andersen with a colour camera… No man in show business has left a greater legacy. »
During the years after Walt Disney, Walt Disney Productions was run by a handpicked team. They opened the **Walt Disney World Resort** in 1971 and on October 1, 1982 **EPCOT®** Centre - an Experimental Prototype Community of Tomorrow - opened, providing a unique vision of our world for years to come. **Tokyo Disneyland Park** in 1983, was the first Disney Theme Park to open outside the U.S.A. Today, the latest park, **Walt Disney Studios®** is open in Marne-la-Vallée.
By building a Disney Park here, The Walt Disney Enterprise Inc. would be sharing its Magic Kingdom with the Europe that had inspired so many of Walt's films and themed attractions. **Disneyland® Paris Resort** would give European families the chance to share adventures and relive childhood fantasies together - just what Walt had imagined his park would do ; when the idea came to him so many years ago, alone on that park bench…

WALT DISNEY STUDIOS
PARK

Dressé vers le ciel, la tête dans les étoiles, du haut de ses 33 mètres, le réservoir d'eau vous indique le chemin du **Parc Walt Disney Studios®**. Commence alors votre voyage au cœur même du Cinéma. Traversez l'écran pour vivre l'envers du décor. Dans un tourbillon d'émotions et de sensations fortes, découvrez le monde fascinant de l'image animée.

*The 33-metre high Earful Tower stretching right up to the sky will show you the way to **Walt Disney Studios®** Park. This is where your journey into the heart of the Movies begins. Go round to the other side of the screen to see what's going on backstage. You'll be swept up in a whirlwind of thrills and sensations as you set out on your quest to discover the captivating world of moving pictures.*

FRONT LOT

Passé le magnifique portail, emblème de l'univers des studios de cinéma, s'ouvre devant vous une grande place plantée de palmiers, évoquant un décor d'Hacienda. Ici, règne la chaleureuse atmosphère de l'Europe du sud. En son centre trône une amusante fontaine à l'effigie de Mickey apprenti sorcier. Cet espace accueillant vous offre une multitude de services, avec notamment la Boutique **Studio photo** et le **Walt Disney Studios Store** où vous ne manquerez pas de trouver de nombreux souvenirs de votre voyage au cœur du Cinéma.

*As you go through the magnificent archway symbolizing the universe of film studios you will come into a spacious square surrounded by palm trees and representing the scene of a Hacienda with its warm southern European atmosphere. In the middle there is an amusing fountain with Mickey dressed up as a sorcerer's apprentice. This welcoming square offers many facilities like the **Studio photo boutique** and the **Walt Disney Studios Store** with all kinds of souvenirs to take home after your trip into the world of the Cinema.*

Passez la porte de **Disney Studio 1**, et vous voilà plongés au beau milieu d'un plateau de cinéma ! Pourquoi ne pas tenter votre chance ? vous pourrez participer à des tournages de film. «Silence on tourne», c'est à vous…

Le long de ce boulevard Hollywoodien, des façades se succèdent évoquant tour à tour différents styles d'architecture du XXe siècle, des années folles aux années twist. Mais jetez un coup d'œil derrière les décors pour découvrir le dessous des apparences. Amusez-vous à contrôler les éclairages ou à comprendre les artifices du décor.

Glissez-vous par la porte du **Brown Derby**, reconstitution d'un célèbre restaurant d'Hollywood, vous y découvrirez une série de caricatures de stars. Ou bien encore, allez prendre un verre au **Liki Tiki**, ce bar tropical typique des années 60, au toit de feuilles de palmiers tressées.

As you go into **Disney Studio 1**, you'll find yourself right in the middle of a film-set!

Why not join in and try your luck? «Silence, please, we are filming», it's your turn now…

The different facades all along Hollywood Boulevard recall the different styles of 20 th century architecture from the wild years to the twist years. Take a look behind the film set to find out what's hidden by the glamour. Have fun working the lights or seeing how all the special effects function.

Slip through the door of the **Brown Derby**, a remake of the famous Hollywood restaurant and you'll see the caricatures of film stars. You can also have a drink in the **Liki Tiki** tropical bar of the 60s with its plaited palm roof.

FRONT LOT

Derrière les devantures des boutiques plus vraies les unes que les autres, comme **Shutterbugs** en forme d'appareil photo géant ou **Alexandria Theater**, cinéma aux façades richement décorées, se trouve le grand magasin, **Les Légendes d'Hollywood**. C'est avec l'Égypte ancienne que vous avez d'abord rendez-vous. Les quatre colonnes gigantesques recouvertes de hiéroglyphes donnent toute sa dimension à ce décor pharaonique. Plongez-vous ensuite dans l'ambiance plage et surf, détente et vacances, avant d'arriver au **Last Chance Gas,** une station service qui aurait pu se trouver à la grande époque, sur la route 66 entre Chicago et Los Angeles. Admirez les chromes rutilants et les clés à molettes.

Au **Disney Studio 1,** prenez quelques minutes pour souffler, faire du shopping, ou déjeuner en appréciant la vue imprenable sur ce boulevard hollywoodien depuis le premier étage du **Restaurant en Coulisse.**

*Behind the windows of the true-to-life stores like **Shutterbugs** in the shape of a giant camera or the **Alexandria Theater** with its highly ornate façade, you can see the **Legends of Hollywood** department store. First of all ancient Egypt with its huge pillars covered with hieroglyphics set the scene for this Pharaonic decor. Following this comes a seaside scene, sandy beaches and surfing, a holiday atmosphere to relax in before you finally reach the **Last Chance Gas,** a Hollywood years gas station of on Route N° 66 somewhere between Chicago and Los Angeles. Just look at those shiny chromes and box wrenches. Take a break in **Disney Studio 1,** shop or have lunch on the first floor of the **Restaurant en Coulisse** overlooking the Hollywood Boulevard.*

ANIMATION COURTYARD

Dans l'univers magique de l'Animation, les images prennent vie ! Regardez de plus près: ici vous sont dévoilés les secrets de cet art ludique et familial. Vous pouvez comprendre et apprécier tout le talent et l'ingéniosité des artistes et dessinateurs des dessins animés. Non vous ne rêvez pas, c'est bien Mickey et Minnie devant leur loge. Ils attendent que le tournage du film commence. Allez à leur rencontre pour une photo souvenir.

Laissez-vous emporter sur **Les Tapis Volants** pour explorer l'univers féerique des mille et une nuits. Le Génie et son équipe de tournage malicieuse vous font participer à leur film qui se déroule dans le décor somptueux d'un coucher de soleil sur la ville D'agrabah.

Look at the pictures coming to life in the magic world of Cartoons. Take a closer look and you'll discover the secrets of this art which is a game for all the family. You'll learn to understand and appreciate the skill and ingenuity of cartoon artists.
No, it's not a dream, Mickey and Minnie are really there outside their dressing room, they are waiting to start filming. Go up and ask them for an autograph.
*Fly away on the **Flying Carpets** over Agrabah to explore the fabulous world of the «Arabian Nights». The Genie and his mischievous filming crew will let you take part in their film set in a sumptuous decor at sunset in the town of Agrabah.*

ANIMATION COURTYARD

Le rideau s'ouvre, que le spectacle commence! Vous êtes dans l'univers de l'animation Disney. Donald vous entraîne dans un magnifique voyage à travers de grands moments des dessins animés. Grâce à des marionnettes géantes, des éclairages fluorescents et de nombreux effets spéciaux, les plus belles créations Disney prennent vie sous vos yeux dans le grand théâtre de l'illusion d'**Animagique®**.

The curtain is rising, let the show begin! Here you are in the world of Disney cartoons. Donald takes you on a marvellous trip right through the history of animation. The best Disney cartoons are coming to life right in front of you in the big illusion theatre, Animagic® with giant puppets, fluorescent lighting and special effects.

Ce grand chapeau d'apprenti-sorcier vous indique l'entrée de l'**Art de l'Animation selon Disney**. Vous partez sur les chemins de la connaissance. D'abord les Ancêtres… Zoetrope, phénakistoscope, praxinoscope, des noms savants pour désigner les premières machines qui permirent d'animer des dessins, sans oublier la caméra multiplan, procédé unique mis au point par Walt Disney pour donner une véritable impression de profondeur aux images.

A big sorcerer's apprentice's hat points the way towards the **Art of Disney Animation** ®. *You are going to set off on a trip through the history of cartoon filming. Starting with the early days… Zoetrope, phenakistoscope, praxinoscope, these complicated names are those of the first machines used to make the cartoon pictures move. The Multiplan camera is very important, it was developed by Walt Disney to give the impression of depth to the pictures.*

ANIMATION COURTYARD

C'est maintenant le moment des grandes émotions. Douillettement installé dans de moelleux fauteuils, pleurez avec Bambi et riez avec Pan Pan, dans un tourbillon d'images extraites des Grands classiques Disney.
Mais qui vient là, sur l'écran dialoguer avec le dessinateur ? c'est Mushu, le bouillonnant petit dragon de Mulan. Incrédule, il maintient qu'il est un vrai dragon et ne veut pas croire qu'il est le fruit d'un long travail de création de toute une équipe des studios Disney.

Let yourself be carried away by your emotions as you sit comfortably in your cinema seat, crying with Bambi or laughing with Thumper as you are swept up in a whirlwind of cartoon extracts from all the Disney classics. Who's that on the screen talking to the draftsman? It's Mushu the impetuous little dragon from Mulan, he can't believe he isn't a real dragon and that he was painstakingly created by the Disney cartoon team.

Maintenant c'est à votre tour de créer. Vous pouvez vous essayer à toutes les disciplines de l'Animation : dessin, coloriage, bruitage, doublage… C'est peut-être le début d'une grande carrière ?

Now it's your turn to invent and experiment all the different stages of cartoon-making: drawing, colouring, background noises and dubbing… You might even want to make it your job later.

Exciting Experience

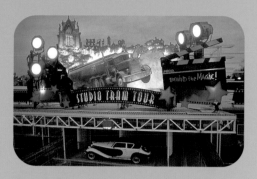

PRODUCTION COURTYARD

Prenez un laissez-passer à **Studio Tram Tour**® et partez pour un voyage plein d'imprévus dans les coulisses du Cinéma.

Vous entrez dans un canyon aux falaises ocre. Mais que se passe-t-il ? Vous êtes au cœur de l'action. Un violent tremblement de terre vous secoue dans tous les sens. Un spectaculaire incendie se déclenche. Pas le temps de respirer, et vous voilà emporté par des torrents d'eaux déferlantes ! Mais ne craignez rien, tout ceci n'est que décors et illusions. Vous découvrez les mécanismes cachés de cet impressionnant cataclysme.

*Take a ticket on the **Studio Tram Tour**® and discover all the unexpected events of backstage Cinema.*
As you enter a canyon with ochre-coloured cliffs you are suddenly thrown into the heart of the action, a violent earthquake shakes you this way and that,

then a giant fire breaks out and before you know where you are you are being swept along in a wave of floodwater. Don't worry, it's not real but just scenery and special effects, to help you to discover the hidden mechanisms of these impressive cataclysms.

PRODUCTION COURTYARD

Vous traversez maintenant de grands espaces où sont entreposés d'imposants éléments de décors de films. Ici, les Avions de « Pearl Harbor », là le temple de « Dinotopia », plus loin une collection de véhicules célèbres de l'Histoire du Cinéma. À l'aide d'extraits de films vous comprenez comment les techniciens utilisent ces décors dans la création d'effets spéciaux.

Observez l'atelier des costumes et admirez l'excellence du travail des costumières.

Vous voilà maintenant au cœur de Londres. Soudain, dans un souffle terrifiant, un dragon crache des gigantesques gerbes de feu. C'est l'apocalypse, la ville n'est plus que ruines et destructions. Mais rassurez-vous, tout ceci n'est toujours qu'illusions.

You are now crossing the large spaces where the biggest elements of the decors are stored. Here are the aeroplanes of «Pearl Harbor», over there the temple of «Dinotopia» and further on the collection of famous cars used in the History of the Cinema. By watching extracts of the films you will find out how the technicians use these decors to create special effects.

Take a look at the costume workshop and admire the skilled work of the wardrobe mistresses.

You are in the middle of London when a roaring dragon suddenly belches out gigantic flames. It's an apocalyptic scene and the city is in ruins, but don't forget all this is just an illusion.

PRODUCTION COURTYARD

Qui n'a jamais rêvé de vivre les aventures romanesques des personnages de fiction ? Traversez l'écran en accompagnant votre héros dans son fantastique voyage à travers quelques-uns des meilleurs moments du cinéma. Films d'amour ou d'humour, d'aventure ou d'action, du rire aux larmes, franchissez le mur du rêve cinématographique et vivez les plus grandes émotions du 7e art à **CinéMagique**®.

Everybody's imagined living the adventures of the characters in novels. Join your hero on the screen on his marvellous journey through some of the best scenes of the cinema. Love stories, comedies, adventure or action films, go through the wall of dreams into the wonderful world of the cinema in **Cinémagic**® *and experience the deepest emotions, in floods of tears or fits of laughter.*

PRODUCTION
COURTYARD

Les Walt Disney Television Studios vous ouvrent leurs portes pour un **Television Production Tour**. Vous êtes au cœur même des installations. Observez les équipes au travail et appréhendez tous les secrets du fonctionnement d'une chaîne de télévision.

*Come on a **Television Production Tour** with the Walt Disney Television Studios. Here you are surrounded by all the cameras. Watch the cameramen and technicians at work and see how a TV channel works.*

PRODUCTION
COURTYARD

D ans les allées du Parc, savourez les nombreux spectacles vivants qui s'y déroulent chaque jour. Au programme : rires et chansons pour tous. Swinguez, valsez, mêlez-vous aux comédiens, allez-y, c'est à vous de jouer.

There are many live shows daily all over the Park bringing fun and songs to everyone. Swing along, waltz with the actors, come on, it's your turn to play.

Et pour la pause déjeuner, plongez-vous dans l'ambiance Art déco du Restaurant **Rendez-vous des Stars**®. Vous ne manquerez pas d'admirer l'un des 26 oscars obtenus par Walt Disney.

*Take a lunch-break in the Art deco **Rendez-vous des Stars**® restaurant. Admire one of the 26 Oscars awarded to Walt Disney.*

Sensational !

BACKLOT

HOT SET

V enez découvrir la grande saga de l'histoire des trucages cinématographiques, depuis les fantasmagories des pionniers jusqu'aux dernières innovations des magiciens du numérique.

Paré pour le décollage ? Montez à bord d'une station spatiale d'**Armageddon : les Effets Spéciaux**. Regardez les décors poussés à l'extrême vraisemblance. Mais attention, les événements se précipitent, rien ne va plus… Une pluie de météorites s'abat sur le vaisseau. Tout n'est plus que feux et flammes, c'est un véritable cataclysme ! Rassurez-vous, vous venez de vivre une étonnante démonstration du pouvoir des effets spéciaux.

*Discover the saga of the history of special effects in the film industry, starting with the pioneers and ending with the latest innovations of digital magicians. Ready for take off ? Welcome aboard the **Armageddon Special Effects**. Look at the larger-than life decor. Watch out, things are happening too fast, it's a catastrophe… A maelstrom of meteorites is beating down on the station, everything is on fire, what a disaster ! Don't worry ! It's only an amazing demonstration of the possibilities of special effects.*

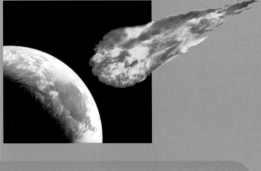

BACKLOT

Pénétrez dans un studio d'enregistrement ultra-moderne à **Rock 'n' Roller Coaster avec Aerosmith**. Maintenant, attachez vos ceintures et en route pour le concert du siècle avec en vedette le très célèbre groupe Rock **Aerosmith**. Emporté par le rythme assourdissant de 120 haut-parleurs, vous bondissez de 0 à 100 km/h en moins de 3 secondes. Virages en épingle, descentes en piqué et loopings, la tête à l'envers, vous traversez cet espace musical à très très grande vitesse. Sons et lumières s'associent pour vous faire vivre pleinement la musique.

*Come on in to an ultra modern recording studio, at **Rock 'n' Roller Coaster Starring Aerosmith**. Just fasten your seat belts and off we go to the concert of the century starring the well-known **Aerosmith** rock band. You accelerate from 0 to 100 km/h in 3 seconds to the pounding rhythm of 120 loud speakers. Hairpin bends, vertical descents, loopings, you speed across this musical space upside down. Sound and light combine to help you fully enjoy the music.*

Everything is calm and peaceful in this little fishing port in the south of France. The market place is surrounded by attractive shops and cafés with brightly coloured walls. The roaring revving of an engine announces our hero's arrival in his flashy red car. Hold your breath, but don't close your eyes, a festival of astounding stunts is about to begin… leaping, skidding, accelerating, forwards, backwards, astride motorbikes, jet skis or in cars, nothing will stop our dare-devil stuntmen. Enjoy this hair-raising ballet and learn the secrets of filming big action movies. Why don't you take part in **Moteurs… Action! Stunt Show Spectacular** ® yourself. Just pluck up courage and come on down into the arena.

BACKLOT

Tout semble si calme et si paisible sur ce petit port de pêche du sud de la France. De jolies échoppes et cafés aux murs colorés entourent la place du marché. Dans un rugissement assourdissant notre héros entre en scène dans sa flamboyante voiture rouge. Retenez votre souffle, mais ne fermez pas les yeux ! C'est le début d'un festival d'incroyables cascades… Sauts, dérapages, accélérations, en avant, en arrière, chevauchant autos, motos ou jets ski, rien n'arrête nos

téméraires cascadeurs. Admirez ce ballet ébouriffant et comprenez les secrets de fabrication des grands films d'action. Mais pourquoi ne pas participer à **Moteurs… Action ! Spectacle de cascades ?** osez descendre dans l'arène !

BACKLOT

Pour vous remettre de vos émotions, allez faire une petite pause déjeuner au **Backlot Express Restaurant**. Regardez la multitude d'accessoires qui s'amoncellent dans un joyeux désordre.

To recover from all these emotions, why not take a break for lunch in the Backlot Express Restaurant. Look at that huge untidy pile of accessories!

DISNEYLAND® PARK

Vous, petits et grands qui passez la porte du Royaume Magique du **Parc Disneyland®**, soyez les bienvenus. C'est ici que commence la grande aventure. Ce monde rempli de joies et de rêves est à votre portée. Laissez-vous entraîner, vous êtes nos invités.

Welcome one and all to the Magic Kingdom of Disneyland® Park. This is where the adventure begins. A world of dreams and happiness is for you. We will be your guides, you are our guests.

Main Street, U.S.A.

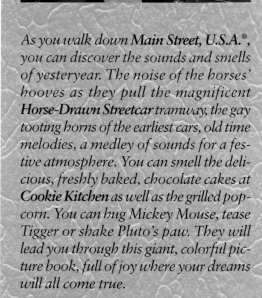

En vous promenant dans **Main Street, U.S.A.**®, vous découvrirez les bruits et les parfums des jours d'Antan. Le clip-clop de **Horse-Drawn Streetcar**, ce magnifique tramway tiré par un cheval, les joyeux klaxons des premières voitures, les mélodies nostalgiques du bon vieux temps, tout un univers sonore qui vous berce dans une ambiance de fête permanente. L'appétissante odeur des gâteaux au chocolat tout juste sortis du four de chez **Cookie Kitchen** et le parfum du pop-corn grillé viendront délicieusement à vos narines. Vous pourrez embrasser Mickey Mouse, taquiner Tigrou ou serrer la patte de Pluto. Ils vous conduiront dans ce grand livre d'images, plein de couleurs et de rire où tous vos rêves deviendront réalité.

*As you walk down **Main Street, U.S.A.**®, you can discover the sounds and smells of yesteryear. The noise of the horses' hooves as they pull the magnificent **Horse-Drawn Streetcar** tramway, the gay tooting horns of the earliest cars, old time melodies, a medley of sounds for a festive atmosphere. You can smell the delicious, freshly baked, chocolate cakes at **Cookie Kitchen** as well as the grilled popcorn. You can hug Mickey Mouse, tease Tigger or shake Pluto's paw. They will lead you through this giant, colorful picture book, full of joy where your dreams will all come true.*

Souvenir...

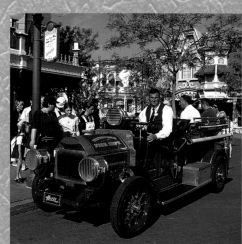

Main Street, U.S.A.

Avec la foule joyeuse, vous déambulez dans la rue pavée de **Main Street, U.S.A.**® Vous êtes dans une petite ville américaine au tournant du XXᵉ siècle. Une époque où les maisons multicolores sont de bois ou de briques, aux toits d'ardoises ou de tuiles rondes. Le temps des tartes aux pommes maison, du base-ball et des sorties en famille le dimanche. Laissez-vous transporter dans les premières automobiles ou dans l'autobus à impériale. Ils vous emmèneront jusqu'à **Central Plaza**, pour admirer le magnifique **Château de la Belle au Bois Dormant**.

*Follow the cheerful crowd down cobbled **Main Street, U.S.A**®. Here you are in a small American town as it was at the beginning of the XXᵗʰ century. The multicoloured houses are made of wood or bricks with slate or round-tiled roofs. The era of homemade apple pies, baseball and family outings on Sundays. Take a ride in an old time automobile or on the double-decker bus and go to **Central Plaza** to stand in awe before the magnificent **Sleeping Beauty Castle**.*

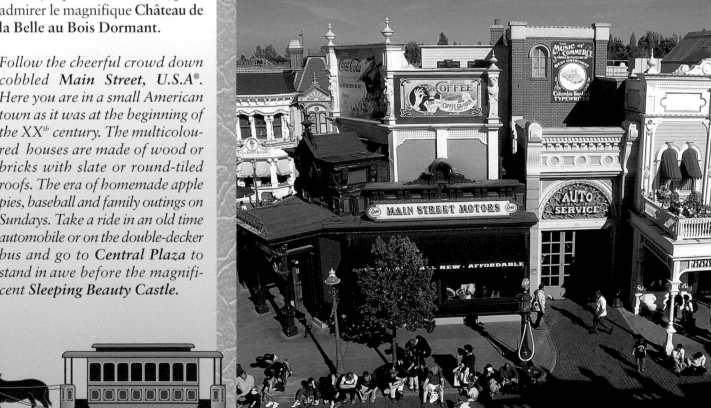

Main Street, U.S.A.

Au cours de votre promenade, les appétissantes odeurs qui viendront vous chatouiller les narines, vous mettront en appétit. Chez **Casey's corner**, vous dégusterez les meilleurs hot dogs que l'on trouve de ce côté de l'Atlantique. Si vous préférez le sucré, vous choisirez un sundae géant au **Gibson Girls Ice Cream Parlor**.

À l'heure du déjeuner, vous pourrez vous installer au **Plaza Garden Restaurant**, pour goûter aux délices de la cuisine française. **Walt's, an American Restaurant,** vous offrira une atmosphère feutrée et intimiste pour découvrir des mets typiquement américains. Au coin de **Market Street** et de **Main Street**, passez la porte du **Market House Deli**. Les étagères remplies de boites de conserve, les moulins à café et le poêle à bois, donnent à cette petite épicerie un côté chaleureusement rétro. C'est là que l'on sert les fameux New York Style sandwiches. Et pour terminer cette promenade gourmande, vous pourrez grignoter quelques popcorns tout en faisant du lèche-vitrine. Et pourquoi, ne pas rapporter un de ces drôles de ballons à l'effigie de Mickey, Minnie, Donald ou Winnie l'Ourson. Un cadeau que vos amis apprécieront sûrement.

During your walk delicious smells will whet your appetite.

Casey's Corner makes the best hot dogs this side of the Atlantic. If you have a sweet tooth you can eat a giant Sundae at the **Gibson Girls Ice Cream Parlor. The Plaza Garden Restaurant** serves mouthwatering French lunches and **Walt's, an American Restaurant** with its cosy muted atmosphere provides typically American dishes. At the corner of **Market Street** and **Main Street** you will find **Market House Deli** and its shelves filled with canned food, coffee grinders, wooden stoves which all lend an old-fashioned look to this grocer's store. It is famous for the New York style sandwiches.

You can finish this gourmet walk by nibbling popcorn as you window-shop. It might also be a good idea to buy one of the Mickey, Minnie, Donald Duck, or Winnie the Pooh balloons to take home as a welcome gift for your friends.

Main Street, U.S.A.

Les enseignes scintillantes et les vitrines si joliment décorées ne vous laisseront pas indifférents. Leurs mille et une couleurs vous invitent à entrer. Ici c'est l'**Emporium** avec ses montagnes de belles choses. Plus loin c'est **The Boardwalk Candy Palace**. Bonbons, sucettes, caramels, des milliers de friandises à dévorer, mais pas seulement des yeux. Vous assisterez à la fabrication du véritable fudge, selon la plus pure tradition.

*The brilliant store signs and their beautifully decorated windows will invite you to go in. Visit **Emporium** with all its attractive wares. Opposite is **Boardwalk Candy Palace**, selling sweets, lollipops, toffee and lots of other delicacies, not just to be looked at, but to be eaten. You can see real, traditional fudge being made.*

Et si le temps se couvre, vous pourrez vous réfugier sous les arcades couvertes qui courent de chaque côté de **Main Street**. Bien à l'abri, elles vous permettront d'accéder à toutes les boutiques et à tous les restaurants. **Discovery Arcade** et **Liberty Arcade** retracent à travers de nombreuses miniatures et tableaux, l'histoire des plus belles inventions du début du siècle pour la première, et l'élaboration et l'inauguration de la Statue de la Liberté pour la seconde.

*If it clouds over or rains you can shelter under the covered arcades on each side of **Main Street** and enter all the shops and restaurants. **Discovery Arcade** relates all the best inventions of the beginning of the century with pictures and miniatures and **Liberty Arcade** shows the building and inauguration of the Statue of Liberty.*

Be courageous !

Frontierland

Enfoncez votre chapeau sur votre tête et partez à la conquête de l'ouest sauvage. Cowboys, indiens, trappeurs, chercheurs d'or, tous ces héros légendaires vous feront découvrir le Far West, terre sauvage et pleine d'aventures où retentissent les cris triomphants des mineurs, le grincement des roues des chariots et l'écho des tirs aux pistolets.

La piste vous emmènera tout d'abord à **Fort Comstock**. Ses lourds rondins de bois surplombent la ville minière de **Thunder Mesa**, bâtie au pied des gigantesques montagnes ocre et rouge de **Big Thunder Mountain**.

Put on your Stetson and set out to conquer the Wild West. Cowboys, Red Indians, fur traders, gold miners are there to guide you through the Far West, a wild land full of adventures, where you hear the triumphant cries of the miners, the grating wheels of the wagons and the bangs of firing guns.

*The trail takes you first to **Fort Comstock**. Its heavy log walls dominate the mining town of **Thunder Mesa**, built at the foot of the huge ochre and red range of **Big Thunder Mountain**.*

Frontierland

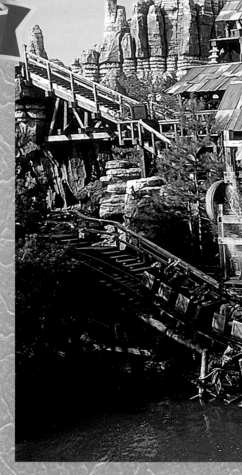

À peine descendu du **Disneyland Railroad,** le paisible train qui fait le tour du **Parc Disneyland®,** au **Frontierland® Depot,** vous accompagnerez les mineurs dans un périlleux voyage à bord du **Train de la Mine de Big Thunder.** Les wagonnets plongent dans des grottes scintillantes, des tunnels dangereusement explosifs. C'est un voyage dans les entrailles de la terre à une vitesse à vous couper le souffle. Pour retrouver calme et sérénité, vous naviguerez à bord du **Mark Twain** et du **Molly Brown,** deux magnifiques bateaux à aube qui sillonnent les **Rivers of the Far West.**

As you get off the peaceful **Disneyland Railroad** train that goes round **Disneyland® Park** at **Frontierland® Depot**, you will join the miners in a dangerous ride on a mad train in the abandoned mine of **Big Thunder Mountain**. The carriages hurtle through shining caves, dangerously explosive tunnels to make a journey into the bowels of the earth at breakneck speed. Back to calm and tranquility on board the wonderful **Mark Twain** and **Molly Brown** paddle steamers navigating on **the Rivers of the Far West**.

Frontierland

Tout en haut, surplombant les tranquilles rivières du Far West, se dresse un superbe manoir de style victorien. Il a connu son heure de gloire, mais aujourd'hui, la peinture s'écaille, la façade se craquelle et les mauvaises herbes envahissent le porche. Il semble abandonné. Mais les anciens habitants hantent toujours les couloirs de **Phantom Manor**.

999 fantômes et esprits vous accompagnent dans cette visite terrifiante rythmée par la voix d'outre-tombe d'un hôte invisible qui vous raconte d'épouvantables histoires de revenants. Frissons assurés.

A superb Victorian mansion overlooks the peaceful rivers of the Far West. Its hours of fame are over, its paint is flaking, its front is cracked and the porch full of weeds.

*It seems to be abandoned, but its ancient inhabitants still haunt the passages of **Phantom Manor**.*

999 ghosts and spirits accompany you on this terrifying visit along with the lugubrious voice of an invisible host telling hair-raising ghost stories to give you the creeps.

Frontierland

Halloween, c'est la fête où tout le monde se déguise en esprits farceurs. Des sorcières, des fantômes, des momies vous encerclent en plein centre **d'Halloween-Land.** Soudain un sentiment d'effroi vous envahit… Hou ! Aah !! Des épouvantails, une gigantesque citrouille et d'autres surprises feront de votre journée une aventure terrible !

*Halloween is the opportunity for everyone to play tricks and wear fancy dress. Witches, ghosts, mummies are all around you in **HalloweenLand**. Suddenly a shiver of fear runs through you… Oho ! AAA ! Scarecrows, a giant pumpkin and other surprises will make your day into a fearsome adventure.*

*Stop off at **Lucky Nugget Saloon** to listen to some old Far West tunes to recover from all these emotions.*
*You can bivouac in front of the old red wood farm of the **Cowboy Cookout Barbecue** just like real Texans. Barbecue spare ribs or a hot, juicy hamburger will satisfy an adventurer's appetite before you set out to fire your last cartridges in the **Pocahontas Indian Village**, where you can climb, slide, crawl in the specially equipped playground set in the decor of an Indian village.*

Après ces grandes émotions un moment de halte au **Lucky Nugget Saloon,** pour écouter quelques airs du bon vieux far west.
Devant la vieille ferme de bois rouge du **Cowboy Cookout Barbecue,** vous pourrez bivouaquer comme de véritables Texans. Des travers de porc grillés au barbecue, ou un hamburger dans un petit pain rond, moelleux et chaud. De quoi remplir votre estomac d'aventurier, avant d'aller user vos dernières cartouches au **Pocahontas Indian Village,** un espace de jeux pour grimper, glisser, ramper dans un décor de village indien.

Adventureland

L e soleil tropical vous invite à pénétrer au cœur de la vieille ville orientale. Dans **Adventureland Bazar,** les parfums d'épices viennent chatouiller vos narines et les couleurs chatoyantes des bibelots exotiques ravissent vos yeux. **Le Passage Enchanté d'Aladin** vous fait découvrir tout l'univers des « Contes des mille et une nuits ». Plus loin, un explorateur parti à la recherche de trésors cachés dans les sables du Sahara, a abandonné sa jeep.

La mélopée des tam-tams africains, les cris des pirates bataillant sur la mer des Caraïbes, et la perspective de découvrir des civilisations perdues au fin fond de la jungle d'Extrême-Orient, tout cela vous laisse présager que vous n'êtes qu'au début d'un long voyage plein d'aventures et de découvertes.

Tropical sunshine attracts you into the center of the old Oriental town. The aroma of spices and the warm colors of the exotic souvenirs are a pleasure to the senses in **Adventureland Bazar.** *You can discover the universe of « the Arabian Nights » in* **Le Passage Enchanté d'Aladdin.** *Further on, there is the abandoned jeep of an explorer seeking hidden treasure in the sand of the Sahara desert.*
The insistent rhythm of African tamtams, the shouts of pirates in battle on the Caribbean sea, the thought of finding lost civilizations in the heart of the Far Eastern jungle, all these are signs that you are about to set out on a long trip full of adventures and discoveries.

EXOTIC !

Adventureland

P our pénétrer sur **Adventure Isle**, il vous faut d'abord franchir prudemment un très long pont suspendu, dangereusement accroché au-dessus d'une eau froide et profonde. Regardez en bas vous pourrez apercevoir l'épave du **Bateau des Robinson** qui s'est brisé sur les rochers. Vous allez explorer un territoire plein de mystères et d'obstacles où chaque pas en avant sera un nouvel exploit. Il vous faudra grimper aux arbres, enjamber des cascades, franchir des ponts, braver les attaques des pirates. Accrochez-vous, le dépaysement est garanti.

To get on to **Adventure Island** you first have to cross a long bridge very carefully, swaying dangerously above cold and deep water. If you look down you can see the wreck of **the Robinson boat** on the rocks. You are going to explore a land full of mystery and obstacles where each step is a new feat. Climb trees, cross waterfalls and bridges, resist attacks from pirates, keep going and you can be sure of a constant change of scene.

Construite dans les branches d'un magnifique Banian, **la Cabane des Robinson** est une astucieuse habitation. Un escalier en spirale qui grimpe tout autour de l'arbre, permet d'accéder au refuge des Robinson. Au rez-de-chaussée, vous trouverez une bibliothèque et une cuisine remplies d'objets sauvés miraculeusement du naufrage. Au premier étage, dans la pièce principale un harmonium joue « Swiss Polka ». La cabane est alimentée en eau par un ingénieux système de seaux en bambou attachés à une roue reliée à un moulin. Sous l'arbre touffu, aventurez-vous dans un labyrinthe de racines et de grottes.

The Swiss Family Robinson Tree House, built in the branches of a magnificent Banyan tree is very cleverly made. A spiral staircase round the tree leads up into the Robinson's hideout. On the ground floor you can see a bookcase and a kitchen full of all the things miraculously salvaged from the shipwreck. A harmonium plays the Swiss Polka in the living room upstairs. An ingenious system of bamboo buckets attached to a wheel and linked to a mill supplies water to the cabin. Under the bushy tree you can see a labyrinth of roots and caves.

Indiana Jones ™ et le Temple du Péril… à l'envers! vous emmène pour une aventure insensée dans les ruines d'un site archéologique. Des wagonnets bringuebalants vous emportent jusqu'au cœur de ce temple aux idoles de pierre. Allez-vous résister à ces descentes vertigineuses et à ces remontées non moins périlleuses ? Une course hallucinante 100 % à l'envers.

Indiana Jones ™ and the Temple of Peril: Backwards! will lead you on a wild chase through the ruins of an archeological site. Ramshackle trucks plunge you into the heart of this temple full of stone idols. Think you can take the perilous, giddy rides down and the breathtaking rides up again? An extraordinary race completely the wrong way round the course.

Adventureland

L a sinistre silhouette de **Skull Rock** annonce de bien terribles rencontres. Il faut avoir le pied marin pour monter à bord du navire **des Pirates des Caraïbes.** Vous êtes maintenant au beau milieu d'un combat de flibustiers qui se jettent furieusement à l'assaut d'un fort espagnol dans un lagon des Mers du Sud. La bataille fait rage. Les canons retentissent, alors que le capitaine à la barbe noire brandit son épée au-dessus de votre tête, exhortant son équipage au combat.

*The grim outline of **Skull Rock** is a sure sign of dreadful encounters to come. You must be a good sailor to climb aboard **the Pirates of the Caribbean** ship. You find yourself right in the middle of a fierce buccaneer battle* as they attack a Spanish fort in a lagoon in the Southern Seas. Battle is raging cannons are firing and the black-bearded captain is brandishing his sword just above your head as he leads his crew into the fray.

Enchanting !

Fantasyland

Fermez les yeux, jetez une pièce dans le puits magique et faites un vœu: celui d'être aussi belle que Blanche Neige, de chanter aussi joliment que la princesse Aurore ou d'être aussi courageux que Lancelot. Vous êtes à **Fantasyland®**, le pays où tous les rêves sont possibles. Vous y retrouverez tous les héros des contes qui ont bercé l'enfance des plus grands et émerveilleront les plus petits à chaque instant. **Le Château de la Belle au Bois Dormant** se dresse, tout de rose et de bleu vêtu, majestueux vers le ciel. Dans la **Galerie de la Belle au Bois Dormant,** de très beaux vitraux confectionnés par de véritables maîtres verriers accompagnés de somptueuses tapisseries de soie, racontent en images richement colorées ce conte célèbre et romantique. Mais sous cet univers de sérénité, veille un gardien féroce. Si vous vous aventurez dans **la Tanière du Dragon,** ne réveillez pas le monstre, il se pourrait que les *c*haînes qui l'attachent au rocher du Donjon ne soient brisées par sa fureur.

*Shut your eyes, toss a coin into the magic well and make a wish: to be as pretty as Snow White, to sing as well as Princess Aurora or to be as brave as Lancelot. You are in **Fantasyland®** where all dreams come true and all the childhood fairytale heroes are here to greet both young and old alike.*
*The pink and blue **Sleeping Beauty Castle** stands out against the sky. See the beautiful stained glass windows made by master glassmakers and marvelous silk tapestries, which relate this famous romantic fairy tale with the highly colourful illustrations in **the Sleeping Beauty Gallery.***
*However, a fierce guardian watches over this peaceful universe. If you go into **the Dragon lair,** be sure not to wake her up because in her rage she might break the chains binding her to the Dungeon Rock.*

Fantasyland

D ans la cour du Château, osez
concourir pour devenir roi.
Essayez d'extraire Excalibur,
l'épée d'Arthur, de sa lourde enclu-
me de plomb. Peut-être serez-vous
celui qui brisera le sortilège.
Valeureux chevaliers, accompagnez
vos gentes damoiselles pour galo-
per sur les magnifiques chevaux
de bois du **Carrousel de Lancelot**.

*Compete to become king in the
Castle courtyard. Try to pull out
King Arthur's sword, Excalibur
from its heavy lead anvil. You may
be the one to break the spell.
Brave knights, take your dam-
sels and mount the wonderful wooden horses of the
Lancelot's Carrousel.*

Poursuivez votre voyage au pays des contes et grimpez à bord d'un mini galion pirate avec Peter Pan et Wendy. Vous décollerez pour le pays de Jamais-Jamais. Dans les **Voyages de Pinocchio** vous suivrez la marionnette de Gepetto dans ses tribulations pour devenir un petit garçon. Vous n'hésiterez sûrement pas à aider les sept nains à sauver Blanche Neige des griffes de la Reine Maléfique.

*Continue your route through fairytale-land and climb aboard a miniature pirate's galleon with Peter Pan and Wendy and leave for Never-never land. Follow Gepetto's puppet in his trials and tribulations to become a little boy in **Pinocchio's Fantastic Journey**. Help the seven Dwarfs save Snow White from the wicked Queen.*

Fantasyland

Les passagers des **Mad Hatter's Tea Cups** tournent avec frénésie dans des drôles de tasses aux couleurs acidulées. Gare à ne pas perdre la tête.

En compagnie de Mickey et Minnie, prenez l'air sur le dos de **Dumbo l'éléphant Volant**. Mais attention, il y a des hauts et des bas.

Perdez-vous dans le dédale de haies du **Labyrinthe d'Alice**. Méfiez-vous des conseils du chat de Cheshire, ils risquent de vous détourner de la bonne direction.

*Passengers of the **Mad Hatter's Tea Cups** spin frantically round and round in these peculiar bright colored cups. Be careful not to lose your head!*

*Come for a ride on **Dumbo the Flying elephant** with Mickey and Minnie. Be careful of the ups and downs.*

*Try to find your way out of **Alice's Curious Labyrinth**.*

Beware of the Cheshire Cat's advice, it may lead you astray.

Fantasyland

Pour découvrir le charme des scènes miniatures représentant quelques célèbres contes de fées, vous pouvez voyager à bord du joyeux petit train, **Casey Jr. le Petit Train du Cirque** ou préférer la paisible croisière du **Pays des Contes de fées**.

Visitez les 5 continents avec le regard d'un enfant. « **It's a small world!** » c'est un voyage autour du monde, à la rencontre des enfants de tous pays. À travers des tableaux où des poupées chantent rient et dansent, vous comprendrez que peu importe les différences, les frontières n'existent pas, les continents se tendent la main, car les liens de l'enfance se fondent en une seule et même quête, celle de la joie et de la paix.

Travel on the **Casey Jr. Le Petit train du Cirque** or on **the Pays des Contes des fées** Cruise and see the charming miniature scenes taken from well-known fairy tales.

With « **it's a small world** », a child's view of the 5 continents, you can travel round the world and meet children from all the different countries. By seeing the laughing and dancing dolls you will understand that whatever the differences, there are no frontiers, the continents come together when the children of the world unite in a quest for joy and peace.

Funtasti

Discoveryland

Bien avant que ses contemporains n'aient osé l'imaginer, Jules Verne a rêvé d'un voyage 20 000 lieues sous les mers. Léonard de Vinci pensait que les êtres humains pourraient voler, bien des siècles avant le premier envol d'un aéroplane. Nous avons là deux des plus grands visionnaires que le monde ait portés. L'un et l'autre sont les représentants de tous ces savants et poètes qui ont osé songer que les hommes s'affranchiraient un jour des contraintes de la gravitation, hors de notre atmosphère, hors de la galaxie, et peut-être hors du temps lui même… Remontez vers le passé, voyagez dans le futur, à travers le regard de ces deux visionnaires. À **Discoveryland**® nous rendons hommage à la force de leur vision et de leur imagination.

*Well before his contemporaries imagined it could be possible, Jules Verne dreamed of travelling 20,000 leagues under the sea. Leonardo da Vinci realised that human beings could fly centuries before the first air flight. They were two of the world's greatest visionaries and both are representative of all the scientists and poets who thought that man could defy the laws of gravity, free himself from the atmosphere, travel beyond the galaxy and perhaps even beyond time itself… Go back in time, travel forward to the future through the eyes of these two visionaries. In **Discoveryland**® we pay tribute to their foresight and imagination.*

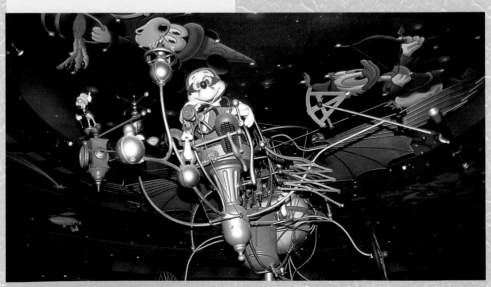

Discoveryland

Attention aux remous, ne vous laissez pas entraîner ! Dans **Les Mystères du Nautilus**, le sous-marin du Capitaine Némo est prêt à s'enfoncer vers les fonds marins les plus profonds et les plus secrets. Mais vous pouvez encore grimper à bord pour participer à ce voyage 20 000 lieues sous les mers.

*Watch out for the swell, don't get pulled under ! In the **Mystères du Nautilus**, Captain Nemo's submarine is ready to dive down into the darkest and most mysterious of ocean deeps. Of course you can come aboard and join in this journey 20,000 leagues under the sea.*

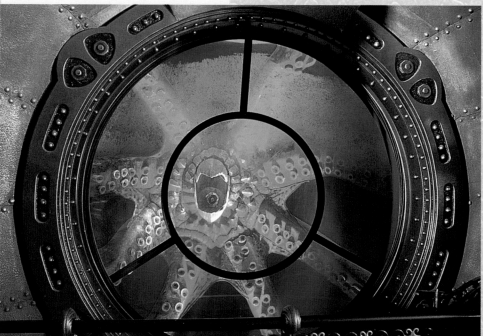

Montez à bord d'un des petits bolides futuristes pour dévorer le bitume de la piste **d'Autopia**. Vous pourrez rêver d'être un grand coureur automobile. Mais attention n'oubliez pas de regarder les panneaux indicateurs, vous risquez un excès de vitesse.

*Jump into the futuristic little racing cars to speed round the **Autopia** course. You can pretend you are a famous racing driver, but don't forget to watch out for the road signs as you might exceed the speed limit !*

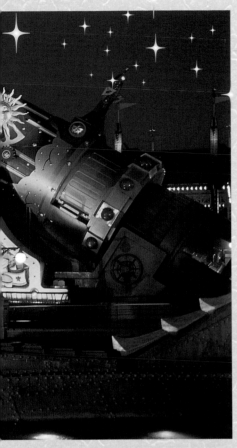

Et nous voilà dans **Videopolis**, cette cité Hi-tech, qui accueille sur sa grande scène plusieurs fois par jour, des spectacles hauts en couleurs. Au **café Hyperion**, vous pourrez déguster de gigantesques hamburgers tout en regardant des dessins animés sur des écrans géants. En sortant, vous admirerez au-dessus de vos têtes, l'Hyperion, ce monumental dirigeable tout droit sorti du roman de Jules Verne, « Le tour du monde en 80 jours ».

*And here we are in **Video-polis**, the Hi-tech City, giving colorful shows several times a day on its big stage. You can enjoy huge hamburgers in the **Café Hyperion** while you watch cartoons on the giant screens. Outside you can admire Hyperion, the enormous airship in Jules Verne's novel « Around the world in 80 Days » suspended above your heads.*

A bord d'Orbitron®, **Machines Volantes,** vous piloterez un vaisseau spatial à travers une fantastique galaxie animée, inspirée des croquis de Léonard de Vinci. Par son roman « De la Terre à la Lune », Jules Verne a largement inspiré **Space Mountain, de la Terre à la Lune.** À bord d'un convoi propulsé par le canon Columbiad, vous partez pour un voyage trépidant à travers l'espace au milieu de champs de météorites scintillantes, le plus beau voyage possible vers les étoiles.

On l'Orbitron® Machines Volantes you can pilot a spaceship through a fantastic moving galaxy, inspired by Leonardo da Vinci's sketches. « From the Earth to the Moon », Jules Verne's book has greatly influenced **Space Mountain - From the earth to the Moon.** *You are catapulted into space by Columbiad cannon amidst fields of sparkling meteorites – The most beautiful trip to the stars.*

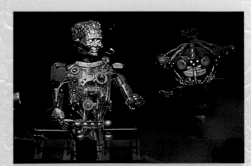

Discoveryland

E n vous arrachant à l'attraction de Hoth ou de la Lune d' Endor, à bord de votre Starspeeder-3000, **Star Tours** vous emmène dans un voyage inoubliable à travers le temps et l'espace. Le vol commence bien, mais très vite les choses se gâtent… Vous serez poursuivis par les forces du Mal et votre pilote, un robot totalement novice dans l'art de la navigation spatiale, vous précipitera dans les champs de météorites. Un périple mouvementé en perspective !

*On board Starspeeder-3000, pulling away from Hoth or the Moon of Endor, **Star Tours** takes you on an unforgettable journey through time and space. Everything starts off well, but pretty soon things go wrong… You are pursued by the forces of Evil and your pilot, a robot with no experience in space-navigation hurtles you into a field of meteorites making it a very turbulent trip !*

Venez participer à une expérience hors du commun. Le célèbre Professeur Szalinski, héros du film « Chérie, j'ai rétréci les gosses », expérimente sa dernière découverte : « la machine à rétrécir »… à vos dépens ! Pointée sur vous, cette machine vous réduit d'un seul coup à la taille d'un Lilliputien. Vous voilà alors plongé dans un univers de géants !

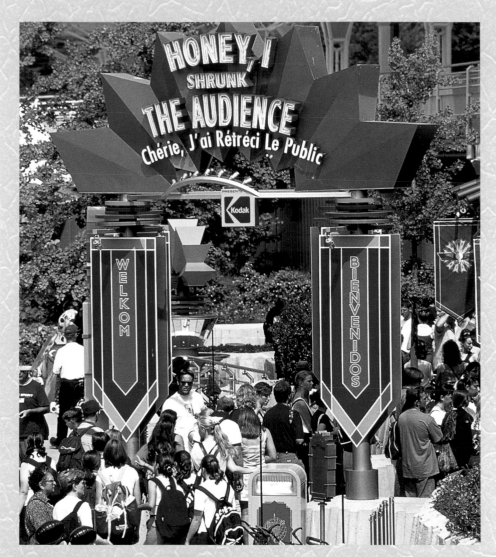

Come and join an extraordinary experiment. The famous Professor Szalinski, hero of the film « Honey, I shrunk the kids » is trying out his new invention « the shrinking machine » at your expense ! When aimed at you this machine will reduce you to the size of a Lilliputian, so you find yourself in a world of giants !

75

Spectacular !

STEAMBOAT WILLIE 1928

Parades et spectacles

Et voici qu'arrive le moment tant attendu, c'est l'instant magique, l'heure de **la Parade Disney.** Les parades rythment la journée au **Parc Disneyland®.** Tous les Personnages des Grands Classiques Disney sur des chars d'apparat vous invitent à partager leur magie dans un défilé endiablé où les musiques, les costumes et les danseurs vous plongent dans l'univers des dessins animés.

Vous retrouverez également vos Personnages Disney préférés en chair et en os en assistant aux différents spectacles qui animent chaque partie du **Parc Disneyland®.** Mickey, Minnie, Winnie, Tarzan et tous les autres s'adonnent à cœur joie pour vous distraire sur scène. Pitreries, danses, rire et chansons au programme pour tous.

*At last it's time for what we have all been waiting for, the magic moment of **The Disney Parade**. The Parades take place every day in **Disneyland® Park**. Disney Characters in the Disney classics are on floats and invite you to share their magic in a boisterous procession where the music, costumes and dancers plunge you into the world of cartoons.*

*You can also see your favorite Disney Characters as large as life if you attend the various shows held in different parts of **Disneyland® Park**. Mickey, Minnie, Winnie, Tarzan and all the others will do their best to amuse you on the stage by playing the fool, dancing, laughing and singing for your entertainment.*

Parades

Chaque jour, **la Parade du Monde Merveilleux de Disney** vous fait revivre 70 ans de Disney.

Mickey et Minnie rentrent en scène voguant sur un bateau à vapeur, suivis par Mary Poppins et le ballet des ramoneurs. C'est ensuite, l'immense dragon d'Aurore, Dumbo et son train du cirque, Cendrillon et son prince dans leur carrosse en forme de citrouille, la Petite Sirène sur un char où les poissons font des bulles de savon, la Belle et la Bête et Aladin sur son Tapis volant accompagné de la belle Jasmine. Tous ces Personnages Disney sortis tout droit des plus beaux dessins animés Disney, vous emmènent dans une sarabande endiablée. Vous ne pourrez pas vous empêcher de danser.

*The daily parade, **The Wonderful World of Disney Parade** enables you to relive 70 years of Disney. First Mickey and Minnie go by in a steamboat, followed by Mary Poppins and the chimneysweeps' ballet, then comes Aurora's giant dragon and Dumbo with his circus train, after them Cinderella and her prince in their pumpkin coach,*

the little Mermaid sitting on a float with fish blowing soap bubbles, the Beauty and the Beast, Aladdin with the beautiful Jasmine on his flying carpet. All these Disney characters straight from the best Disney cartoons will sweep you along in a wild saraband. You just can't help dancing along with them.

Parades

Noël est un moment magique au **Parc Disneyland®**. Le Père Noël lui-même accompagne Mickey et Minnie en habit de fête. Ils viennent se joindre à la joyeuse Parade de Noël.

*Christmas is a magic time in **Disneyland®Park**. Santa Claus himself accompanies Mickey and Minnie in their party clothes. They join in the Christmas Parade.*

Dés la tombée de la nuit, le sapin géant de **Main Street** éclaire le ciel étoilé. Les premières mesures de la **Parade électrique de Main Street** retentissent. Elle illumine de mille feux tout le **Parc Disneyland®**. Sous la voûte céleste de nombreux chars glissent le long de **Main Street**. Et en bouquet final, près du **Château de la Belle au Bois Dormant**, un feu d'artifices en musique clôture ce spectacle féerique.

*As soon as night falls the giant Christmas tree in **Main Street.** lights up the starry sky. The first notes of **the Main Street Electrical Parade** ring out. This illuminates **Disneyland® Park** with a thousand lights. Many floats slide along **Main Street.** under the heavens. This magical show ends in a musical firework display near **Sleeping Beauty Castle**.*

Spectacles

Mickey et la Magie de l'Hiver. Sur la scène du **Chaparral Theater**, à **Frontierland**®, Mickey, Minnie et leurs amis passent de joyeuses vacances d'hiver. Mais Donald ne l'entend pas de cette oreille. Alors attention aux gags…

*Mickey's Winter Wonderland. Mickey, Minnie and their friends are spending happy winter holidays on the stage of **Chaparral Theater**, in **Frontierland**®. But Donald Duck is not prepared to accept that, so watch out for the gags…*

Au **Théâtre du Château**, dans le spectacle **Winnie l'Ourson et ses Amis**, suivez l'adorable Ourson dans ses aventures gourmandes autour de l'arbre à miel en compagnie de ses amis Tigrou, Porcinet, Bouriquet et Christophe. Regardez comme ils se régalent !

*At **the Castle Theater**, in the show **Winnie the Pooh and Friends too!** follow Winnie the Pooh in his greedy adventures around the honey tree with his friends Tigger, Piglet, Eeyore and Christopher Robin. What a treat they are having!*

Au **Chaparral Theater,** venez également découvrir le mystère d'une légende en partant sur les traces de Tarzan, dans le spectacle **Tarzan™, la Rencontre.** Revivez la magie de sa rencontre avec Jane. Envolez-vous dans d'incroyables acrobaties et riez aux pitreries de ses amis.

*At **Chaparral Theater,** come and discover the mystery of a legend following Tarzan's footsteps in a show, **The Tarzan™ Encounter.** Relive the magic of his meeting with Jane and see him leap off into amazing acrobatics while you laugh at his friends pranks.*

Village Disney

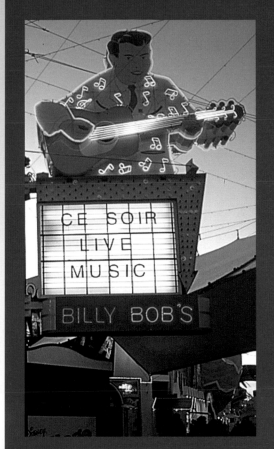

C haque soir est un soir de fête au **Disney® Village**. Vous pourrez dîner, flâner dans les boutiques, prendre un verre, danser, écouter de la musique, vous amuser en famille ou entre amis. Des dizaines d'activités vous y attendent pour une soirée sans fin.

*Every evening is party time in **Disney® Village**. You can dine, stroll round the shops, have a drink, dance, listen to music, and enjoy yourself with family or friends. Dozens of different things to do in an unending evening.*

DISNEY Village

Pour un soir, vous pourrez vous prendre pour Al Capone en dînant au **Steakhouse**, comme au bon vieux temps de la Prohibition. Si vous préférez l'ambiance Western, chaussez vos bottes et vos éperons et allez taper du pied au rythme d'un air de musique Country au **Billy Bob's Country Western Saloon**. Au **Annette's Diner**, Vous pourrez boire un Milk Shake servi par une hôtesse en rollers, au son d'une mélodie des fifties. Ici le divertissement est garanti, profitez-en.

*For one evening you can pretend you are Al Capone and dine at **the Steakhouse**, just as he did during Prohibition times. If you prefer a Western atmosphere, put on your spurs and boots and dance to the rhythm of Country music at **Billy Bob's Country Western Saloon**. At **Annette's Diner**, you can sip a milk shake served by a waitress on roller skates to the tunes of the 1950s. You are sure to enjoy yourself, so make the most of it.*

La **Légende de Buffalo Bill** est un Dîner spectacle qui vous fera revivre toute l'aventure du Far West en une soirée. C'est un hommage rendu à l'époque où le grand Buffalo Bill vint en tournée en Europe avec ses cavaliers et ses tireurs d'élite et donna ses représentations entre les pieds de la toute jeune Tour Eiffel.

Installé dans une véritable arène, tout en dévorant un incroyable festin de cowboy dans une vaisselle d'époque, vous serez tenu en haleine par ce spectacle époustouflant ! Jeux d'adresses, cavalcades, chasse aux bisons et attaque de diligence se succèdent ! De la voix et du chapeau, vous encouragerez les fines gâchettes.

Buffalo Bill's Wild West Show is a dinner show relating all the Far West adventures in one evening. It is a tribute to the time when the great Buffalo Bill came on a tour of Europe with his riders and marksmen and gave a show right at the foot of the newly built Eiffel Tower.

Seated in a real arena and eating an authentic cowboy meal in traditional crockery, this amazing show will thrill you! A succession of games of skill, cavalcades, bison hunts, stagecoach attacks, wave your hat and shout to encourage the expert gunsmen!

Le **Disneyland® Hotel,** situé juste à l'entrée du **Parc Disneyland®,** constitue en quelque sorte la porte d'entrée vers un univers de découvertes, de fantasmagorie et de romance. C'est un magnifique exemple de cette architecture victorienne, confortable, portée à son plus haut niveau. Avant de repartir pour de nouvelles aventures, on pourra prendre **au Restaurant des Inventions** les fameux petits déjeuners, en compagnie des principaux Personnages Disney. La piscine est un chef-d'œuvre d'élégance, de confort et de fraîcheur. Le **Bar Fantasia** et Le **California Grill** vous ouvrent également les bras.

Disneyland® Hotel *situated over the entrance to* **Disney-land® Park,** *is the gateway to a world of discovery, fantasy and romance. It is a beautiful example of warm Victorian architecture at its best and most welcoming. It features the famous Breakfasts at the* **Restaurant des Inventions,** *where guests mingle with familiar* **Disney Characters** *as the thrilling day begins. The swimming pool is a masterpiece of elegance and refreshing comfort. The* **Bar Fantasia** *and the* **California Grill** *add to your enjoyment.*

DISNEY'S NEWPORT BAY CLUB

Disney's Newport Bay Club® est tout empreint d'élégance dans ses tons de teck verni, de cuir et ses senteurs marines. Cela ressemble beaucoup à l'île de Nantucket au début du siècle, une base d'expéditions baleinières du nord-est des États-Unis. Un phare guide les marins égarés sur les flots déchaînés qui viendront se reposer de leurs émotions et raconter leurs aventures sous la majestueuse véranda.

Disney's Newport Bay Club® has more than a touch of yacht-club elegance with its polished teak, leather and scent of sea spray. You feel you are on the whaling island of Nantucket in the north-eastern United States at the turn of the century. A lighthouse guides lost sailors home from the raging sea. A majestic veranda shades rocking chairs where sailors can tell ocean-going sagas.

DISNEY'S HOTEL NEW YORK

Disney's Hôtel New York® est un établissement de première classe qui représente à Paris le beau et sobre style Manhattan. Son architecture rappelle la vie trépidante de New York City - gratte-ciels, façades de grès et immeubles de Gramercy Park. Des patineurs glissent en musique sur une carte géante de Manhattan ; non loin, le **Lac Disney** et sa promenade. Les chambres sont meublées Art Déco, caractéristique des années 30.

*Disney's Hotel New York® is a first class convention hotel that brings the life of Manhattan to Paris. The architecture reflects the bustling character of New York City ; skyscrapers, Brownstones and buildings from Gramercy Park. Ice skaters glide over a giant map of Manhattan to music, while taking in the view of **Lake Disney** and the promenade. The Art Déco-themed rooms recall the sober luxury and clean-lined furniture of the 1930s.*

DISNEY'S SEQUOIA LODGE

Disney's Sequoia Lodge® évoque les paysages forestiers des parcs nationaux nord-américains. Réchauffez-vous devant la magnifique cheminée du **Redwood Bar and Lounge** où vous pourrez vous distraire ou vous reposer dans l'une des 1 000 chambres aux meubles en bois naturel. Pendant vos promenades - 4 hectares paysagés - écoutez les aiguilles de pin craquer sous vos pas et respirez à pleins poumons les toniques senteurs de résine.

*Disney's Sequoia Lodge® evokes secluded wood settings in the American National Parks. Warm up beside the spectacular log fireplace in the **Redwood Bar and Lounge** which offers live entertainment, or relax in one of the 1,000 cosy hunting-lodge style rooms. As you walk through the 40,000 square metres of landscaping, crisp pine needles crackle under your feet and you are reinvigorated by the bracing smell of resin.*

DISNEY'S HOTEL CHEYENNE
COME ONE COME ALL!

Disney's Hôtel Cheyenne® vous plonge au cœur de l'Ouest profond. Faites halte dans une des 1 000 chambres, juste au-dessus de l'échoppe du maréchal-ferrant ou de la banque. Non loin, un campement où vos enfants pourront jouer aux cow-boys et aux indiens. Mais il y a aussi le **Red Garter Saloon** et le **Chuckwagon Café** où les portions de barbecue et les boissons sont à la mesure d'un appétit et d'une soif de cow boy.

Disney's Hotel Cheyenne® takes you right to the middle of the Old West. You bunk down in one of the 1,000 rooms above the Blacksmith, the Bank or the Guest House. There's an Injun settlement where your little cowpokes can play cowboys and indians. There is the Red Garter Saloon for slaking a cowboy's thirst, and the Chuckwagon Café to handle a Texas size appetite with a cowhand's portion of Texas BBQ.

DISNEY'S HOTEL

Santa Fe®

*D*isney's Hotel Santa Fé® welcomes all travellers, especially those on their way to the Rio Grande, and lodges them stylishly in one of its 1,000 bright, airy rooms. Pueblo Indian figurines are there to greet you. Hand-painted animal skins line the walls where primitive paintings hang alongside hunting trophies. The main corridors are cheerfully adorned with Indian accessories ablaze with colored feathers and shining beads. *La Cantina* in the hotel offers a splendid variety of Tex-Mex specialities.

Disney's Hôtel Santa Fé® accueille les voyageurs, surtout ceux qui sont en route pour le Rio Grande. Là, ils pourront se détendre dans l'une des 1 000 chambres à leur disposition. Des figurines d'indiens Pueblos vous souhaitent la bienvenue. Des trophées de chasse et des peaux peintes ornent les murs rustiques. Les couloirs sont décorés de parures indiennes aux couleurs vives. À **La Cantina,** vous hésiterez devant le choix infini des délicieuses spécialités Tex-Mex.

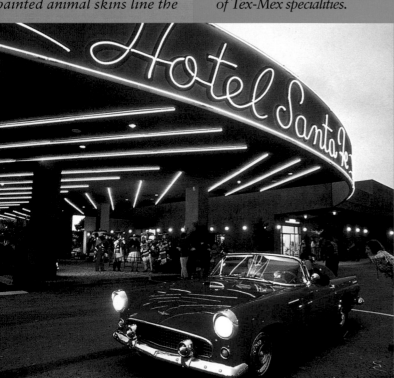

93

DISNEY'S DAVY CROCKETT RANCH®

Disney's Davy Crockett Ranch® est un campement retiré dans la nature sauvage, non loin des deux Parcs à Thème. Vous pourrez y pédaler ou y courir en toute liberté, le long de promenades arborées. Ici, vie au grand air et confort moderne s'allient pour votre plaisir. Vous pourrez faire griller votre propre barbecue. La **Crockett's Tavern** vous offre une exquise cuisine familiale, sans parler d'une piscine avec toboggans, une rivière et un bain à remous.

Disney's Davy Crockett Ranch® is a wooded wilderness retreat near the Parks. You can bicycle, jog or cart along tree-lined trails. You can live a wilderness experience with all the comforts of home. Enjoy cooking your own BBQ with grub or try the home-style cooking at **Crockett's Tavern,** *where there is a unique indoor pool with water slides, a river and a spa.*

The Golf Disneyland® is only three kilometers from the Disneyland® Parks. The course, superbly laid out for beginners and pros alike, has 27 holes divided in three groups of nine that may be played independently or combined for an 18-hole round. Par for the course is 72. It has a beautiful clubhouse, with a grill room and a conference center.

Golf Disneyland

Le Golf Disneyland® se trouve seulement à 3 km des deux parcs à Thème. Le golf, superbement dessiné tant pour les débutants que pour les professionnels, se répartit en trois parcours, de 9 trous chacun, dont 2 peuvent à loisir, se jouer indépendamment ou s'enchaîner. Le par du parcours de 18 trous est de 72. Le club-house est magnifique avec son grill et son centre pour séminaires.

Walt Disney Studios® Park